Walker Books Ltd (Londain) a chéadfhoilsigh sa bhliain 2002
faoin teideal *A Present for Mum.*
An leagan Béarla

An leagan Gaeilge

ISBN 1-85791-.437-6

Printset & Design Teo. a rinne scannán an chló i mBaile Átha Cliath
Arna chlóbhualadh i Hong Kong

Le fáil ar an bpost uathu seo:
An Siopa Leabhar,
6 Sráid Fhearchair,
Baile Átha Cliath 2.
ansiopaleabhar@eircom.net

nó

An Ceathrú Póilí,
Cultúrlann Mac Adam–Ó Fiaich,
216 Bóthar na bhFál,
Béal Feirste BT12 6AH.
diane@culturlann.org

Orduithe ó leabhardhíoltóirí chuig:
Áis,
31 Sráid na bhFíníní,
Baile Átha Cliath 2.
eolas@forasnagaeilge.ie

An Gúm, 24-27 Sráid Fhreidric Thuaidh, Baile Átha Cliath 1

Bronntanas do Mhamaí

Vivian French
a scríobh

Dana Kubick
a mhaisigh

Máire Nic Mheanman
a d'aistrigh

An Gúm

‘Amárach lá breithe
mo Mhamaí,’ arsa Séimí
leis féin.

Chuaigh sé a chaint lena
dheartháir mór, Tomás.

‘Cén bronntanas
atá agatsa
do Mhamaí?’
ar seisean.

‘Bláthanna,’
arsa Tomás.
‘Is maith léi bláthanna.’

‘An-smaoineamh!’
arsa Séimí, agus
amach sa ghairdín
leis.

Phioc Séimí na bláthanna ...

ba mhó ...

dá raibh ann ....

ach faoin am a
thug sé isteach iad
bhí na piotail
tite díobh.

'Ó bhó!' arsa Séimí
agus ceann faoi
air.

Chuaigh Séimí a chaint
lena dheirfiúr, Síle.

Bhí sise ag comhaireamh
a cuid airgid.

'An le haghaidh
bhronntanas Mhamaí an
t-airgead sin?' arsa Séimí.

'Sea,' arsa Síle,
'ceannóidh mé
bosca milseán di.'

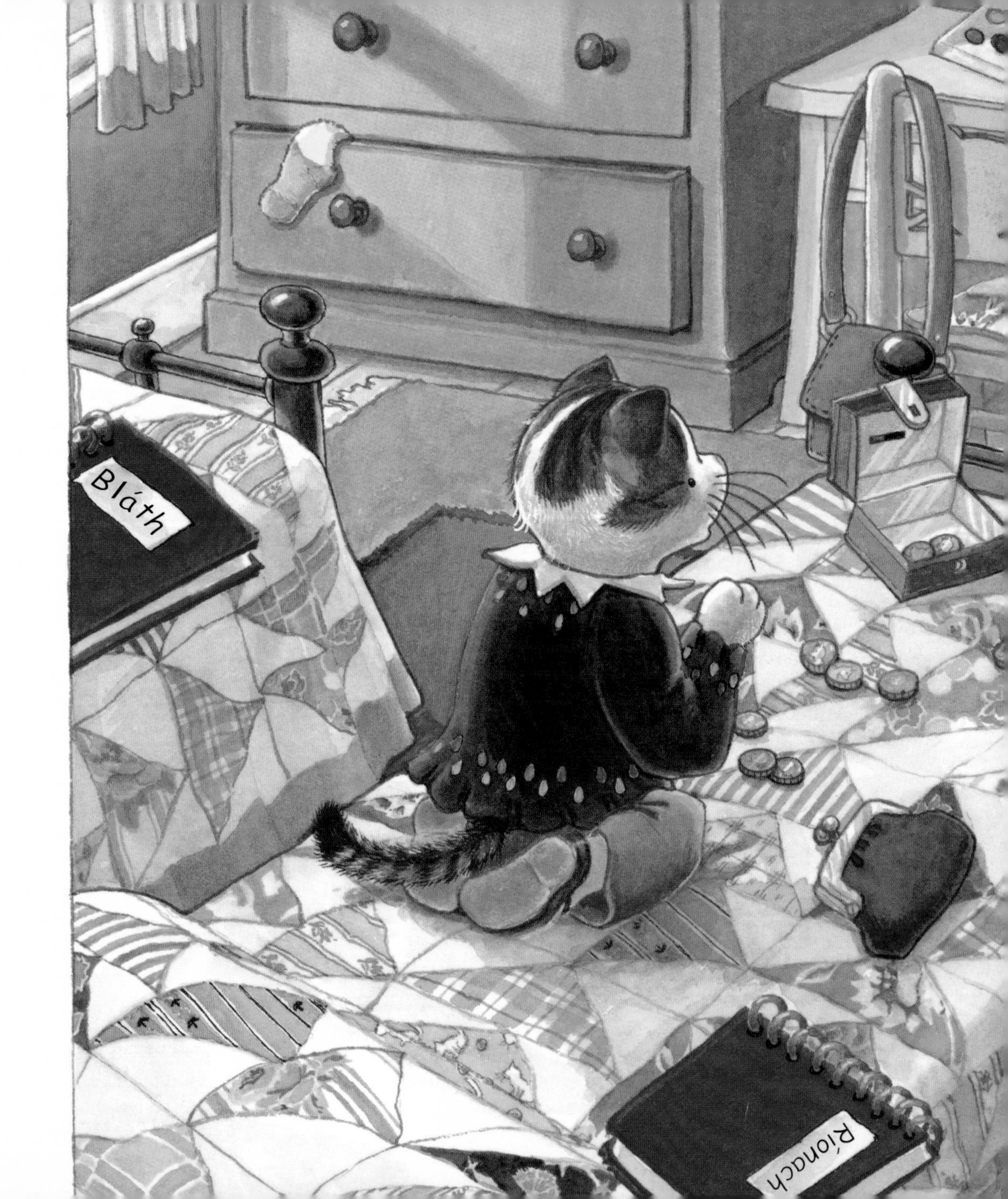

‘Sea, gan dabht!’ arsa Séimí,
‘nach bhfuil bosca airgid
agam féin freisin?’

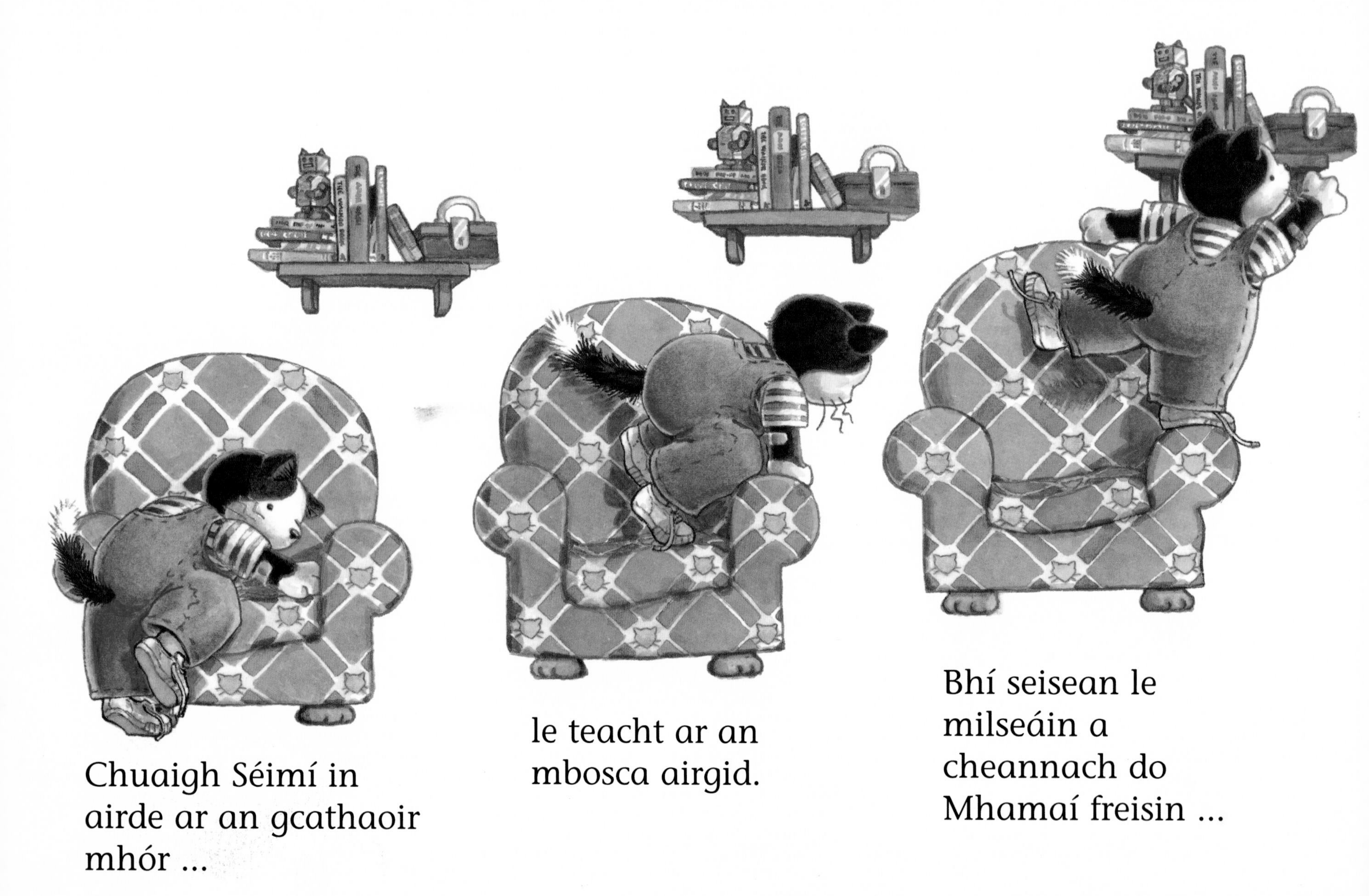

Chuaigh Séimí in airde ar an gcathaoir mhór ...

le teacht ar an mbosca airgid.

Bhí seisean le milseáin a cheannach do Mhamaí freisin ...

Ach nuair a
d'oscail an bosca ...

ní raibh dada ann,
seachas píosa amháin
de mhíreanna mearaí!

'Ó bhó,'
arsa Séimí agus
an-díomá air.

Chuaigh Séimí a chaint le Neilí, a dheirfiúr mhór.

'Céard tá tusa a dhéanamh?' ar seisean.

'Cáca milis do Mhamaí,' arsa Neilí.

'Hurá! Tá sé agam,'
arsa Séimí, agus é
ag rith amach
as an gcistin.

Rinne Séimí cáca láibe ...

a bheadh ...

an-deas ...

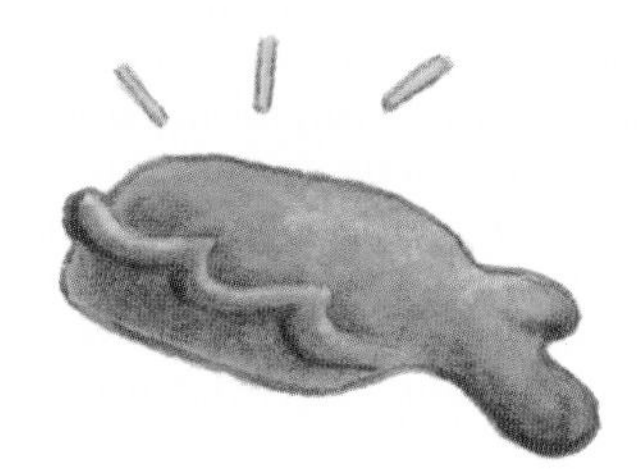

murach gur thit sé.

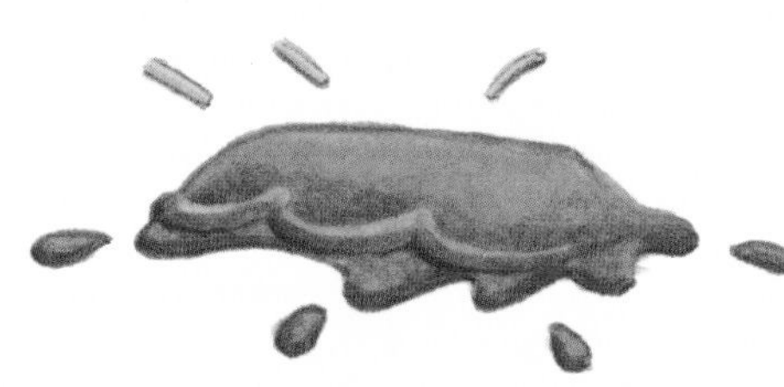

'Ó bhó!'
arsa Séimí
go díomách
agus a eireaball
go talamh.

Ó bhó! –

Shiúil Séimí suas
an staighre go mall,
le bronntanas a lorg
dá Mhamaí.

Bhain sé a chuid
carranna amach as an
mbosca mór, ach bhí
siad uile sórt briste.

Sheas Neilí sa doras.
'Deir Mamaí go bhfuil
sé in am luí,' ar sise.

Ar éigean a chodail Séimí
in aon chor an oíche sin.

Bhí Neilí agus Síle agus
Tomás isteach chuige
an chéad rud ar maidin.

'Am éirí,' ar siad.
'Ach níl dada agam do
Mhamaí,' arsa Séimí.

'Tabhair póg di,' arsa Neilí.
'Sin é an bronntanas
ab fhearr léi.'

Shuigh Séimí aniar sa leaba.
Bhuail smaoineamh é.

'Tá a fhios agam céard a
dhéanfaidh mé,' ar seisean.

'An bhfuil tú ag teacht?' arsa Síle.
'I gceann soicind nó dhó,'
arsa Séimí.

D'imigh Neilí, Síle agus Tomás síos an staighre, lena gcuid bronntanas a thabhairt do Mhamaí.

'Bláthanna!' arsa
Mamaí.
'Nach álainn iad!

Agus milseáin!
Go hiontach!

Agus cáca milis breá!

Ach cá bhfuil Séimí?'

Leis sin...

bhí Séimí sa doras agus
bosca mór ar iompar aige.

'LÁ BREITHE
SONA DUIT,
A MHAMAÍ!'
ar seisean.

D’oscail Mamaí
an bosca.

‘Ach, a Shéimí!’ arsa Tomás,
Neilí agus Síle
le chéile, ‘tá sé folamh!’

‘Ó, níl!’ arsa Séimí.
‘Tá an bosca lán go barr de phóga móra.’

“Ó, a Shéimí, a chroí,’ arsa Mamaí, ‘is iontach an bronntanas é,’ agus thug sí póg mhór dó.

‘Ná húsáid na póga sin uile in aon iarraidh amháin,’ arsa Tomás.

‘Is dóigh liom go mairfidh an bosca póg seo go deo,’ arsa Mamaí go sásta.

‘Sea,’ arsa Séimí,
‘mairfidh sé
GO DEO
NA nDEOR.’

Ach thug sé
póg amháin eile
do Mhamaí,
ar aon nós,
ar fhaitíos ...